En souvenir de nos fidèles copains à quatre pattes:
José, Titipondio et Josefina. Et à Pomeriya.

© 2011 Éditions Mijade
18, rue de l'Ouvrage
B-5000 Namur

© 2011 Pedro Penizzotto
pour le texte et les illustrations

ISBN 978-2-87142-755-1
D/2011/3712/33

Imprimé en Belgique

Pedro Penizzotto

Snowie
le copain de neige

Mijade

Magda rêvait d'avoir un chien ou un chat à la maison, mais pour ses parents, c'était hors de question : un animal, ça salit tout, il faut s'en occuper, disaient-ils.

Alors, l'hiver Magda confectionnait de petits animaux de neige…

… et celui-ci était si joli !
Elle lui donna même un nom : Snowie.

Le lendemain matin,
Snowie avait disparu.
«Ooh non! Il a fondu»,
se dit Magda.

Mais alors, c'était quoi, ces empreintes bizarres dans la neige?

«On dirait les pieds que j'ai fabriqués pour Snowie!»
Les traces se dirigeaient vers le bois...

C'est là qu'elle le retrouva.
Elle n'en crut pas ses yeux!
«Snowie! Tu es vivant!
Comment est-ce possible?»

Les réponses des écureuils fusèrent:

« C'est grâce à une bonne fée! »

« Non, au laser d'une soucoupe volante! »

« Non, à un sortilège de sorcière! »

En fait, ils n'en savaient rien
et ils inventaient n'importe quoi!

Magda s'aperçut que son copain de neige
avait un trou au derrière.
« Pauvre Snowie ! Que t'est-il arrivé ? »

Là, les écureuils furent unanimes.

Un renard avait surpris Snowie tandis qu'il les aidait à ramasser des glands.

Il l'avait mordu, croyant faire un festin !

S'apercevant qu'il était en neige, il avait renoncé à le croquer tout entier,
et était reparti fort désappointé.

Magda façonna une petite boule de neige et rafistola son ami.

«Voilà l'animal de compagnie idéal», se dit-elle.
«Il est propre, il ne demande pas beaucoup
de soins et il ne mange rien!»

Grosse erreur! Oh que si, il mangeait! Il dévorait, même! Des pots entiers de crème glacée!

Mais l'essentiel, c'était qu'il ne fasse pas ses besoins partout dans la maison et de ce côté-là, elle pensait n'avoir aucun souci à se faire.

Quelle horreur quand elle découvrit
une petite flaque sous Snowie.
«Mince, tu as fait pipi sur le tapis!»

Mais non, il était en train de fondre…
Magda se précipita dehors avec lui.

Mais que ce soit dedans ou dehors, aucun doute là-dessus,
Snowie serait son petit compagnon favori !
Les écureuils lui bâtirent un nid. Quel bonheur !

Puis le premier bourgeon
fit son apparition.
Le printemps arrivait!
Bientôt, la neige fondrait,
et Snowie aussi.

Magda fut bouleversée à cette idée.

Comment sauver Snowie?
« Il pourrait partir vers le nord,
là où il gèle toute l'année », dit un écureuil.

« Partir ? Snowie ?
Jamais de la vie ! »
s'indigna Magda.

Elle savait où Snowie
serait à l'abri : dans le frigo !
Là, il ne risquait pas de fondre.

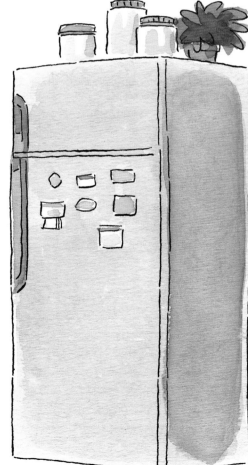

Plus question qu'il mette un pied dehors :
c'était bien trop dangereux.

Mais Snowie ne supportait pas sa nouvelle vie.
Même sa chère crème glacée ne lui disait plus rien !

Alors, Magda descendit
son vieux tricycle du grenier.
Elle prépara des provisions
et une carte pour aller vers le nord.

Snowie était paré pour le voyage.

L'heure était venue de se séparer.
« Il doit faire tellement froid, là-bas,
même pour toi, mon copain de neige ! »

En quelques coups de pédales,
Snowie s'éloigna…

… puis disparut à l'horizon.

Les semaines s'écoulèrent, ce fut le printemps, puis l'été.

Même si les écureuils lui tenaient compagnie,
Magda ne pouvait s'empêcher de penser à Snowie.

Comme il lui manquait!
Avait-elle eu raison de le laisser partir?
Et s'il l'avait oubliée?
Et si elle ne le revoyait jamais?

Un jour, Magda reçut une lettre.

L'écriture était très maladroite,
avec bon nombre de fautes d'orthographe.

Derrière la lettre, il y avait une photo.